D0343694

JEE
JEE
JEE

Aan Bart, Maud en Isa,
de leukste drieling die ik ken
— Merel

Aan alle kinderen van
de Salvatorschool in Oostakker.
— Riet

JEE JEE JEE

Riet Wille
met illustraties van
Merel Eyckerman

LANNOO

HOE HET BEGON

Heb jij al eens een drieling gezien?
Ik wel.
Hun mama woonde bij mij om de hoek.
Ik kwam er langs op weg naar school.
Ze lag op een bed bij het raam
en zwaaide altijd naar me.
Na een paar dagen wuifde ik terug.
Nog later stond het raam open,
dan maakten we ook een praatje.
Ik vroeg of ze ziek was.
Ze schudde lachend haar hoofd,
terwijl ze haar bobbelbuik aaide.
Daar zaten drie baby'tjes in.
Van de dokter moest ze rusten,
dan kon haar buik flink groeien.
De bijna-mama telde de dagen af.
Wachten duurde lang
en ze moest altijd maar liggen.
Of er ook een papa was?

Ja natuurlijk,
maar die was bijna nooit thuis.
Hij had een heel drukke baan.
Alles begon met een zelfgetimmerde kar.
Daar stapelde hij stoelen op en tafels en kasten.
Met die kar hielp hij mensen uit de buurt

als ze in een ander huis wilden gaan wonen.
Hij verhuisde ze snel en goedkoop
en verdiende nog een centje ook.
Het trekken en duwen van de kar was zwaar werk.
Daarom knutselde hij een brommer voor de kar.
Met de brommer hielp hij mensen uit het dorp.
Hij verhuisde ze snel en goedkoop
en verdiende nog centen ook.
Met de brommer werd hij altijd nat als het regende.
Daarom telde hij alle spaarcenten bij elkaar
en kocht een busje.

Met dat busje hielp hij mensen van de stad.
Hij verhuisde ze snel en goedkoop.
Hij verdiende meer geld
en er kwamen ook steeds meer klanten.
Met vaste hand schilderde hij letters op het busje.

J. DE STOOP

VERHUIST

SNEL EN GOEDKOOP

Jakob De Stoop hield van zijn busje
en natuurlijk ook van zijn vrouw.
Vaak reed hij met het busje langs hun huis.
Dan toeterde hij drie keer en zwaaide.
De zwaai was voor zijn vrouw,
het getoeter voor de baby's in de buik.
Ook mama Mona was trots op het busje,
bijna net zo trots als Jakob.
Ze vertelde er haar zonen vaak over.
Ja, het waren drie jongens!
Dat hadden ze gezien op een foto.
Drie piemeltjes wees de dokter aan.
Een van de jongens kon Jakob later opvolgen,
maar wie van de drie zou dat worden?
Mama Mona kreeg een knap idee.
Ze bedacht drie jongensnamen,
allemaal met de 'J' als beginletter.
Op het busje kon dan altijd 'J. DE STOOP' blijven staan.
De drie baby's kwamen iets te vroeg.
Het werd te krap in de bobbelbuik,
ze wilden er gewoon uit.
Jakob zette een ooievaar voor de deur.

Dat vond ik een beetje stom.
Ze kwamen toch uit de buik van Mona?
Het verhaal van de ooievaar geloofde niemand meer.
De namen van de jongens
stonden als een torentje op het geboortekaartje:

JEF
JOOST
JANNES

Wie op bezoek kwam met een cadeautje,
kreeg chocolaatjes in houten wagentjes,
heel grappig en erg lekker.
Mmm...
Op kraambezoek nam ik drie paar sokjes mee,
verpakt in aparte doosjes met krullerige linten.
Misschien kreeg ik dan wel drie wagentjes,
maar dat is niet gelukt.
Ik denk dat de Stoopjes niet rijk waren.
De drie wiegjes pasten net in de woonkamer
en boven was er maar één kinderkamer.
Gelukkig was Jakob goed in stapelen.

Hij timmerde drie bedden boven elkaar,
maar dat vertel ik later wel.
Wat was het druk bij de Stoopjes!
Jakob deed zijn best om vaker thuis te zijn.
Ook kwam er elke dag iemand helpen,
om de baby'tjes te wassen en zo.
Toch stapelde het werk zich op:

flesjes geven,
billetjes wassen,
boekjes lezen,

kleertjes strijken,
boertjes laten,
liedjes zingen…

Daar zijn leuke foto's van.
Op een van de foto's
kan je mij op de achtergrond een beetje zien.
'S Nachts moest Mona vaak uit bed:
Jannes die weer verkouden was,
Joost die om zijn speentje krijste,
Jef die weer honger had…
Dan voelde Mona zich moe.
Op zo'n dag schikte Jakob zijn werk,

kwam wat vroeger naar huis
en nam zijn zoontjes mee uit.
Dan kon zijn vrouw wat rusten.
Jakob timmerde aan de oude verhuiskar.
Hij bevestigde drie zitjes op een rij
en riempjes om de jongens veilig vast te binden.
De trotse vader nam hen mee uit
naar het bos, de bakker, de vijver…
Het leukst vonden ze de kinderboerderij.
Daar mochten ze een pony aaien
en de kippen en geitjes eten geven.
Jakob deed de dierengeluiden voor
en zijn jongens bootsten hem na:

boe…
mei…
ie-aa…
bei…
tok tok tok…
kukeleku…
Bij de konijnen bewogen ze grappig met hun mondje.
De Stoopjes groeiden als kool.

NAAR DE KLEUTERSCHOOL

De broertjes werden groter
en gingen naar míjn school.
Mama Mona vroeg of ik met hen mee wilde lopen,
omdat ze zelf maar twee handen had.
Op school keek iedereen naar ons
en vroeg aan míj wie Jef, Joost of Jannes was.
De drieling droeg nooit dezelfde kleren,
dat vond mama Mona stom.
Ik kon haar alleen maar gelijk geven.
Toch verwarden de juffen hun namen
omdat hun gezichtjes zo op elkaar leken.
Daar hoort een mooi verhaal bij.
In december kwam de Sint op school.
Het was druk voor de heilige man
en hij had niet genoeg knechten meegebracht.
Omdat ik in de hoogste klas zat,
mocht ik me verkleden als Zwarte Piet.
Zo kwam ik in de klas van de Stoopjes.
De juf had haar handen vol
met bange en huilende kleuters.

De Sint zat op een versierde stoel.
Eén voor één riep hij de kleuters bij zich.
Dan keek hij in zijn grote boek
en las hardop hoe flink ze waren.
Of hij stak zijn wijsvinger in de lucht
en somde op wat beter moest.
Daarna kreeg elk kind een puntzak met snoep.
Jef glunderde.
Mama Mona was streng met suikergoed.
Elke dag kregen de jongens één snoepje
en verder wilde ze geen gezeur.
Die dag was Jannes niet op school.
Hij lag met koorts in bed.
Jef mocht als derde bij de Sint.
Hij keek alleen maar naar de snoepzak
en hoorde niets van wat de Sint zei.
Ik hield Jef in het oog,
ook toen andere kleuters bij de Sint kwamen.

Dan was Joost aan de beurt.
Die huppelde naar voren
en kroop bij de Sint op schoot.
De Sint aaide zijn wang en lachte.
Toen stak hij zijn witte vinger in de lucht
en zei dat Joost zo druk was.
Dat hij moest proberen stil te zitten…
Wat Jef ondertussen deed?
Die glipte van zijn stoeltje
en sloop naar zijn boekentasje.
Hij stopte zijn snoepzak erin.
Toen de Sint Jannes naar voren riep,
liep Jef opnieuw naar Sinterklaas
en kreeg hij nog een zak met snoep.

Ik was de enige die het merkte.
De Sint kende de drieling wel,
maar wist niet wie wie was.
En de juf suste en troostte haar kleuters.
Om vier uur was ik weer gewoon het buurmeisje.
Terwijl Jakob op Jannes paste,
kwam Mona Jef en Joost ophalen.
De juf gaf een snoepzak mee voor Jannes
omdat die ziek in bed lag.
Mona stopte de drie zakken in haar tas.
Ik heb niets verklapt
en nooit iets gehoord over
die vierde zak.

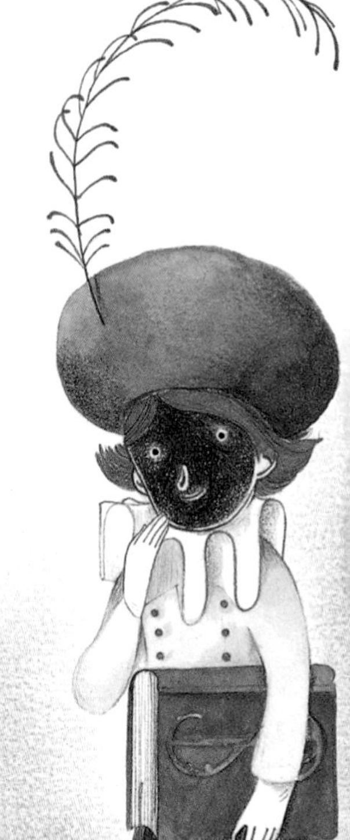

De Stoopjes gingen
graag naar school.
Toen ze in de derde kleuterklas zaten,
zag je al meer verschil tussen de jongens.
Jannes droeg een bril
en had vaak een snottebel.
Jef vond nog steeds alles lekker,
hij was de molligste van de drie.
Joost was lang en mager.
Hij had nog steeds moeite met stilzitten.
Je bleef zien dat het een drieling was,
op een klasfoto kon je ze zo vinden.

NAAR DE LAGERE SCHOOL

De Stoopjes konden niet zo goed leren,
maar met hun handen werken lukte prima.
Als er op school werd geklust,
stonden ze meteen klaar om te helpen.
Ook thuis hielpen ze soms mee.
Jef bij mama in de keuken
en Joost en Jannes in het verhuisbedrijf.
Toen de drieling leerde lezen,
zat ik al op een andere school.
Toch wil ik nog iets vertellen.
Waarom?
Omdat ik Mona en Jakob
nooit zo trots gezien heb als toen.
Mama Mona las haar grote jongens nog steeds voor,
omdat ze liever luisterden dan lazen.
Mona las af en toe ook gedichten voor,
want rijmen vonden ze allemaal heerlijk.
Op school was er een gedichtenwedstrijd,
met als thema 'Fit en gezond'.

Er waren drie derde prijzen,
twee tweede prijzen
en één eerste prijs.
De Stoopjes hoorden bij de zes winnaars!
Ik denk dat Mona wat geholpen had.
Maar wat zou het?
De prijsuitreiking gebeurde in de feestzaal.
Mona en Jakob droegen kleren
die ik nooit eerder gezien had.
Hand in hand zaten ze naast elkaar
en ik was Mona's buurvrouw.
Alle kinderen zaten vooraan in de zaal.
Een deftige dame nam het woord.
Wie zijn gedicht hoorde voorlezen
mocht daarna op het podium klimmen.
Het grappige was dat ik meteen doorhad
welk gedicht bij welk Stoopje hoorde.
Het eerste gedicht ging zo:

een reep chocolade
een slok limonade,
een zakje snoepjes
een pakje koekjes,
een flesje cola
en een potje vla,
een klontje suiker
mag daar ook nog bij,
het is niet gezond
maar het maakt me lekker
blij
blij
blij

Jij kan zeker ook al raden
wie de trappen opklom?
Mona en Jakob bleven maar klappen.

Bij het voorlezen van het tweede gedicht
vroeg de dame om de lichten te doven.
Geroezemoes.
Het was een bijzonder gedicht.
Je moest er niet alleen naar luisteren,
maar ook naar kijken.
Op een scherm verscheen dit gedicht:

Ik kan niet goed sTiLzItTeN
mijn voeten moeten altijd

w   w   w
i   i   i
p w p w p
p i p i p
e p e p e
n p n p n
e   e
n   n

bij rekenen
en tekenen
en ook bij andere vakken
kan ik niet aan mijn stoel plakken

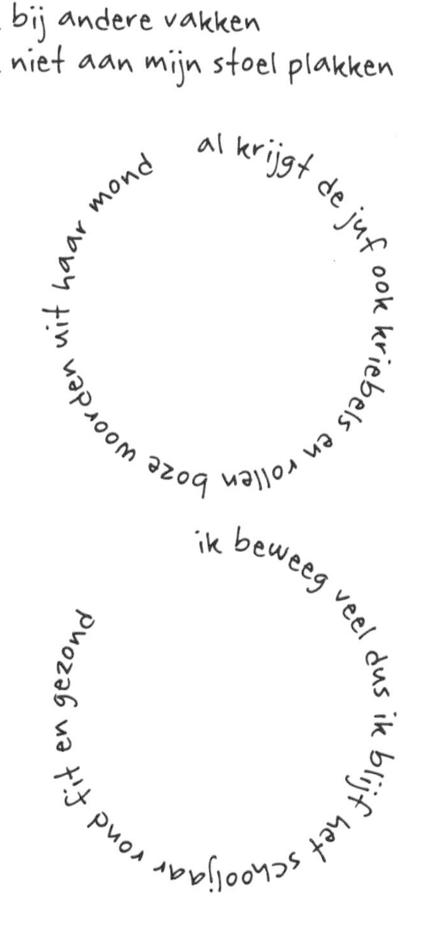

Jij kan zeker ook weer raden
wie de trappen opklom?
De lichten floepten weer aan.
Jakob, Mona en ik klapten om het hardst.
Twee Stoopjes stonden al op het podium.
De deftige dame las het derde gedicht:

van prei
kijk je blij
van citroenen
leer je zoenen
van tomaten
ga je mooi praten
en van peren
kan je goed leren
groenten en fruit in je mond
maken slim en gezond
(maar niet altijd
want ik lig net
weer ziek in bed)

En jij kan natuurlijk ook weer raden
wie de trappen opklom.
Weer klapten we om het hardst.
Op het podium stonden drie Stoopjes:
drie derde prijzen.
Dat was een prachtig gezicht
en alle Stoopjes straalden!

Uitgaan deden Mona en Jakob niet vaak.
Als het toch eens gebeurde,
vroegen ze mij om op te passen.
Joost deed altijd het moeilijkst.
Jannes en Jef speelden graag spelletjes
en samen knutselen vonden ze leuk.
Voor Joost leek het huis te klein
en een poos stilzitten bleef moeilijk.
Hij wilde ook nooit naar bed.
Eigenlijk snapte ik hem wel een beetje.
De slaapkamer was piepklein,
het stapelbed en de drie stoelen pasten maar net.
De meeste stapelbedden hebben twee bedden,
maar hier kon je tot drie tellen.

Jef sliep bovenin.
Ikzelf vond dat geen goed idee.
Het kostte Jef echt moeite
om op dat laddertje naar boven te klimmen.
Als hij 's nachts op moest om te plassen
werden Jannes en Joost daar wakker van.
Ik zou hem van plaats verwisselen met Joost,
die in het onderste bed sliep.
Maar dat durfde ik
niet te zeggen.
Jannes lag in het midden.
Dat was handig omdat
hij vaak ziek was.
Zo hoefde Mona zich
niet telkens te bukken
voor een theetje of een
troostend woord.

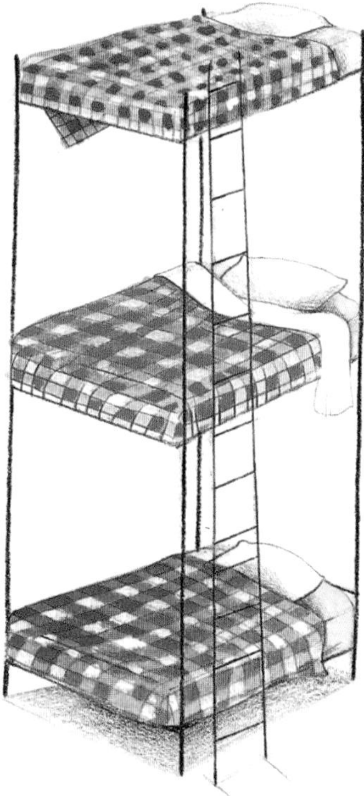

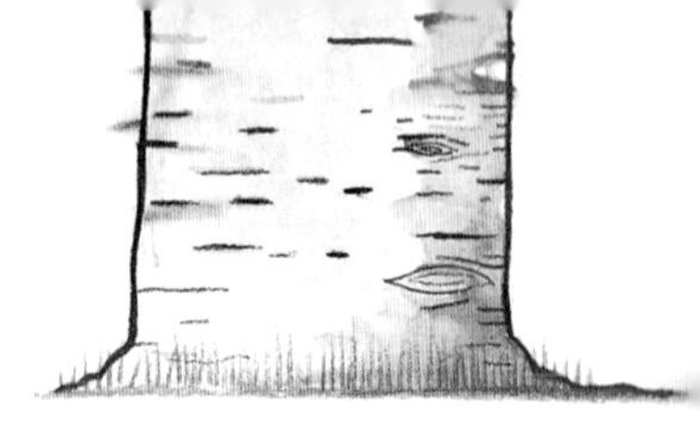

De Stoopjes kregen bijna nooit bezoek,
er mochten ook nooit vriendjes komen spelen.
Mona spaarde alles op voor hun verjaardag
want dan was het feest feest feest!
Ze organiseerde een grote picknick in het park
met belegde broodjes en zelfgebakken taart.
Ik hielp met het beleggen van de broodjes.
Jakob schikte al het lekkers in zijn verhuisbusje
en laadde het weer uit bij het park.
Op die dag was het altijd stralend weer,
net of er drie zonnen schenen.
Als mensen Mona vroegen hoe ze dat deed,
lachte ze alleen maar.
Elk jaar danste er een vlammetje meer op de
taart en zo werden de Stoopjes groot.

HOE HET VERDER GING

De jongens gingen elk naar een andere school:
Jef studeerde voor kok,
Jannes deed houtbewerking
en Joost leerde over auto's.
Jakob deed het wat rustiger aan.
Hij werkte nooit meer in de weekends.
Dan wandelden ze samen naar het bos,
het park met de vijver en de kinderboerderij.
Daar haalde Jakob herinneringen op
waar Mona telkens om moest lachen:
Jef die het brood voor de vissen zelf opat,
Jannes die botjes en stukjes pels verzamelde
en daarmee nieuwe dieren puzzelde,
Joost die op handen en voeten hupte
en de oppasser die hem een hok aanbood.
Bij regenweer stapten ze in het busje.
Dan reed Jakob langs de huizen die hij kende
en vertelde wie van waar
naar waar verhuisd was
en wat voor soort mensen het waren.

Jakob vertelde graag en veel
en Mona kon goed luisteren.
Toch was het Mona die erover begon,
over welke zoon hem later zou opvolgen.
Jakob haalde zijn schouders op.
Hij beweerde dat het niet meer gedaan werd,
zo van vader op zoon de zaak overnemen.
Dat de jongens vast iets anders wilden doen.
Mona was daar niet zo zeker van
en beweerde dat ze haar zonen beter kende.
Ze wachtte het goede moment af
om ze naar hun toekomstplannen te polsen.
Jef was de eerste aan wie ze het vroeg.
Hij roerde kruiden door een saus
en hing met zijn neus boven de pan.
'Je moet proeven met je neus', beweerde hij.
'Wist je dat ruiken heel belangrijk is?'
'Jij wordt vast een prima kok', knikte Mona.
'In jouw restaurant moeten ze aanschuiven
om een tafeltje te bemachtigen.'
Jef haalde zijn neus van boven de pan.
Hij veegde zijn handen schoon aan zijn schort

en legde die op Mona's schouders.
'Ik vind koken heerlijk,
maar een hele dag in de keuken?
Nee. Ik weet al wat ik later moet,
verhuizen zit mij in het bloed.'
Toen bleef het stil.
Mona dacht dat Jef nog wat zou zeggen
en Jef dacht net hetzelfde van zijn moeder.

Een paar dagen later praatte ze met Jannes.
Hij werkte aan een opdracht voor school.
IJverig schuurde hij aan een schommelstoel.
'Mag ik hem eens uitproberen?' vroeg Mona.
'Gaat u zitten', gebaarde Jannes plechtig.
Mona nam plaats in de stoel.

Ze gaf zichzelf een zetje...
wiebel wiebel wiebel wiebel wiebel.
'Hij zit goed', prees Mona.
'Wil je later nog meer meubels ontwerpen?'
'Vast en zeker', knikte Jannes.
'Al mijn meubels wil ik zelf ontwerpen,
maar dan wel na mijn werkuren.
Liever nog wil ik meubels verhuizen.

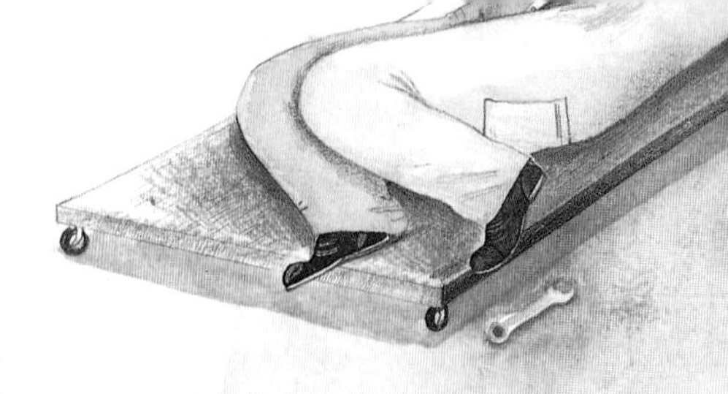

Ik weet al wat ik later moet,
verhuizen zit mij in het bloed.'
Mona gaf zichzelf nog een zetje
en wachtte tot ze uitgeschommeld was.
Haar hand zwaaide als een groet
en toen liep ze de kamer uit.

Nog diezelfde dag begon Joost er zelf over.
Eigenlijk was het een gek gesprek.
Het leek wel een poppenkast.
Joost lag onder het verhuisbusje,
enkel zijn voeten waren te zien.
Wanneer hij praatte,
bewogen die voeten met zijn woorden mee.
'Lukt het een beetje?' vroeg Mona.
'Geen probleem', zei de stem onder het busje.
'Deze auto heeft voor mij geen geheimen meer.
Ik ken hem als mijn eigen broekzak.

Nooit meer panne of pech
met chauffeur Joost op de weg.
Ik weet al wat ik later moet,
verhuizen zit mij in het bloed.'
Mona staarde nog een poos naar de schoenen,
maar daar kwam geen beweging meer in.

De volgende weken
was Mona wat stiller dan anders.
Jakob merkte het, maar vroeg niet waarom.
Op een natte zondag reden ze samen uit.
Na een kilometer draaide Jakob de muziek zachter.
'En?' vroeg hij.
'En?' echode Mona.
'Je bent zo stil de laatste tijd.

OP

Problemen waar ik niets van afweet?'
Mona legde haar hand op Jakobs knie.
'Ik heb met de jongens gepraat', begon Mona.
'En eigenlijk...
Eigenlijk willen ze alle drie verhuisman worden.'
'Tsss', floot Jakob tussen zijn tanden.
Hij schudde zijn hoofd.
'Toen ik mijn verhuisbedrijf begon,
was een busje genoeg.
Nu komt er zoveel meer bij kijken.
Vandaag zijn de mensen zo veeleisend:
je moet altijd vriendelijk zijn,
je moet alles van auto's afweten,
je moet perfect meubels uit elkaar kunnen halen.
Tja...
Ik neem ze alle drie apart mee
en kijk wie het meeste talent heeft...'

HET VERHAAL VAN JEF

De drieling zat op de bank voor de televisie.
Een van hen at een broodje.
Een andere las een stripboek.
De derde droeg een hoofdtelefoon
en zijn hoofd wiebelde mee op de muziek.
Jakob hing aan de telefoon.
'Kunt u het even herhalen, mevrouw?' vroeg Jakob.
'Ja... nee, nee... natuurlijk... zoals afgesproken...
U hoeft zich geen zorgen te maken.
Over een halfuurtje ben ik bij u.'
Met een zucht legde Jakob de hoorn neer.
'Mevrouw Van Santen', deelde hij mee.
'Zal ik meegaan?' stelde Jef voor,
terwijl hij de kruimels van zijn broek mepte.
'Goed idee!' knikte Jakob.
'Trek gauw andere kleren aan.
We vertrekken zo.'
In het busje vertelde Jakob over de mevrouw.
Ze was een vriendin van zijn moeder
en woonde in een groot huis met een tuin.

Nu verhuisde ze naar een flatje met een balkon.
Jakob belde aan.
'Dag meneer De Stoop', fluisterde de mevrouw.
Ze snoot haar neus.
'Dit is mijn zoon Jef', stelde Jakob voor.
'Hij helpt me vandaag.'
'Alles staat klaar', wees de vrouw.
'De meubels mogen niet mee.
Die zijn te groot voor mijn nieuwe huis.
Iemand anders komt ze later ophalen.'
Ze verdween door de glazen deur
die naar het terras en de tuin leidde.
Jef keek de kamer rond.
De dozen stonden netjes op een rij.

Grote, witte lakens verstopten de meubels
en andere raadsels met vreemde bobbels.
Jef keek naar buiten.
Mevrouw Van Santen knuffelde een boom,
aaide een bloeiende struik
en zwaaide naar de vogels.
Jef tikte met zijn wijsvinger tegen
zijn voorhoofd
en keek vragend naar zijn vader.
Die haalde zijn schouders op.
Samen laadden ze het busje vol.
'We zijn klaar', vertelde Jakob.
'Nog niet alle dozen zitten erin.
We moeten nog een keertje rijden.

Komt u nu mee of straks?'
'Ik rijd nu wel mee', zuchtte de vrouw.
'Dan blijf ik hier', stelde Jef voor.
'Ik zet alles in de hal.'
Hij wuifde het busje uit.
Toen alle dozen op de goede plek
stonden, liep Jef de tuin in.
Een briesje speelde met de schuurdeur.
Die wapperde, flapperde en klapperde.
Jef fluisterde: 'Ik weet niet wat hier aan de hand is,
maar ik heb de boodschap wel begrepen.'
Hij zeulde drie potten naar buiten
en plantte daar bloeiende struiken in.
Net toen hij klaar was, arriveerde Jakob.
Samen laadden ze de laatste dozen in.
'Er moet nog iets mee', knipoogde Jef.
Hij zeulde de planten naar het busje.
Jakob gaf zijn zoon een paar schouderklopjes.
Ze reden naar het flatje.
Het busje stopte voor een hoog gebouw.
De lift bracht een volle kar naar boven
en een lege naar beneden.

Mevrouw Van Santen telde de dozen.
'Ik denk dat ik alles heb', knikte ze.
'Bijna', knikte Jef terug.
De lift bracht de drie bloempotten naar boven.
Jef rolde ze naar het balkon.
'Een tuintje', fluisterde de mevrouw.
Ze lachte…

Terug bij het busje keken ze omhoog.
Het leek wel een zoekplaatje.
Ze zochten een balkon met drie bloempotten.
Daar!
Mevrouw Van Santen zwaaide met grote gebaren.

HET VERHAAL VAN JANNES

De drieling zat op de bank voor de televisie.
Een van hen at een banaan.
Een andere las de krant.
De derde droeg een hoofdtelefoon
en zijn vingers trommelden mee met de muziek.
Jannes stak zijn hand op.
'Moet je horen!' riep hij.
'Hier staat een vreemd zoekertje.
Zal ik het voorlezen?'
Joost en Jef antwoordden niet.
Toch las Jannes het zoekertje voor:

'DRINGEND GEZOCHT:
Man of vrouw
die kan puzzelen met meubels.
Vergoeding voorzien.'

Hij veerde op en zocht zijn vader.
'Pa! Kijk! Dit lijkt iets voor mij.
Wil je met me mee?'

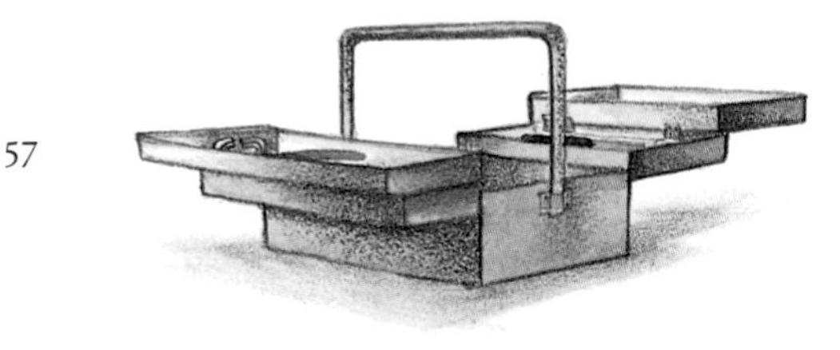

Jakob las het zoekertje en het adres.
'We kunnen eens gaan kijken', twijfelde hij.
'Neem je gereedschapskist maar mee.'
Het was wel een uur rijden.
Gelukkig wist Jakob overal de weg,
want het huis lag vrij afgelegen.
Als je het een huis noemen kon, tenminste.
Het had een rond én een vierkant torentje
en alle ramen hadden een andere vorm.
Jakob schudde zijn hoofd.
'Tsss, zelden zoiets lelijks gezien.
Weet je zeker dat je naar binnen wilt?'
Jannes knikte en wipte uit het busje.
Hij belde aan.
Een heel gewone meneer deed open.
'We komen voor het zoekertje', zei Jannes.
Jakob knikte instemmend.
'Kom binnen', zei de man vriendelijk.
'Ik ben nog maar pas eigenaar van dit huis.
Het stond te koop met alles erop en eraan.
Ik dacht eerst de inboedel te verkopen,
maar misschien is er toch iets mee te doen.

Zelf ben ik niet zo handig.
Alle meubels staan momenteel in de woonkamer.
Dat leek mij het handigst voor dit karwei.
Volgt u maar...'
Samen stapten ze de kamer binnen.
De ogen van Jannes keken onderzoekend rond.
Wat was hier eigenlijk aan de hand?
De woonkamer stond inderdaad vol meubels:
een boekenkast, een bureau, een tafel, zes stoelen,
een nachtkastje, een klerenkast, een buffetkast,
twee fauteuils, een ladekast...
Sommige laatjes hoorden duidelijk niet bij de kast.
'Hier klopt iets niet', zei Jannes.
'Dat klopt', knikte de man lachend.
'Ik heb zelf al iets geprobeerd,
maar de meeste laatjes knellen zo.
Net of ze niet terug willen naar hun kast.'
'Ik los dit voor u op', beloofde Jannes.
'Dat hoop ik', zei de man en hij liep de trap op.
'Roep maar als jullie klaar zijn.'
Jannes nam de leiding.
'Eerst halen we alles eraf wat loszit:

laden, deuren, spiegels, knopen, poten,
handvaten…
Dan leggen we alles bij het juiste meubel.
Daarna proberen we alles in elkaar te puzzelen.
Goed?'
Jakob knikte en opende de gereedschapskist.
Sommige stukken kregen een tik van de hamer
omdat ze niet los wilden komen.
Andere onderdelen werden netjes bijgeschaafd
of kregen een spijker in iets wat loszat.
Jannes gaf zijn vader wat aanwijzingen.
Na vijf uur waren alle meubels weer zichzelf.
'Knap werk', prees Jakob
en hij gaf zijn zoon een paar schouderklopjes.
Ook de huiseigenaar knikte goedkeurend.
Alle deurtjes en laatjes wilden open en dicht.
'Nu hoef ik geen nieuwe meubels te kopen.
Dat spaart mij een hoop geld uit.'
De huiseigenaar gaf een witte envelop aan Jakob.
Jakob gaf hem door aan Jannes.

HET VERHAAL VAN JOOST

De drieling zat op een bank voor de televisie.
Een van hen at een stuk chocola.
Een andere las een boekje.
De derde droeg een hoofdtelefoon
en zijn benen dansten mee met de muziek.
Hup!
Het linkerbeen van Joost schoot naar voor.
Een krukje kreeg een stoot
en een kopje kletterde over de vloer.
Een ogenblik bleef het stil.
'Joost!' gilde Mona.
'Houdt het dan nooit op?
Gisteren een bordje, vandaag een kopje...
Ga zelf maar stoffer en blik halen!'
'Ik heb dat kopje daar niet gezet', probeerde Joost.
Mona stampte naar de keuken
en gooide de deur dicht.
'Opruimen en meekomen', gebood Jakob.
'Ik weet waar ze jou wél kunnen gebruiken.'
Nu was het Joost die de deur dicht liet knallen.

'Ik deed het niet met opzet', legde Joost uit.
Jakob zette zijn wijsvinger voor zijn lippen.
Zwijgend liepen ze de straat uit.
'Waar gaan we eigenlijk naartoe?' vroeg Joost.
'Naar het veldje wat verderop', wees Jakob.
'Ze vragen vrijwilligers.
Ik was eerst niet van plan om te helpen,
maar dankzij jou zijn er vier handen meer.
Dat veldje is een oud speelpleintje dat vol afval ligt.
Het is de bedoeling om alles op te ruimen
zodat kinderen er weer veilig kunnen spelen.'
Ze kwamen bij het veldje.
Dat had meer weg van een vuilnisbelt.
Overal lag troep, zelfs een autowrak.
Een wip en een schommel droomden van vroeger.
Vijf vrouwen liepen ijverig rond.
'Aha!' riep er een.
'Een paar stoere mannen.
Net wat we nodig hebben.'

Naast het veldje stond een container waar alles in werd gegooid.
Joost en Jakob hielpen mee.
Er hing een gezellig sfeertje.
Twee vrouwen zongen
en er werd vaak gepauzeerd met koffie en taart.
'Zullen we het autowrak wegslepen?' vroeg iemand.
'Even wachten', bedacht Joost hardop.
'Er zitten nog bruikbare dingen aan.
Die wil ik er eerst afhalen.'
Een mevrouw keek vragend naar Jakob.
Die stak lachend zijn duim in de lucht.

Met een sleutel haalde Joost de zetels uit het wrak.
Die belandden mooi en droog onder een afdak.
Een stuk boom werd een tafeltje.
De zithoek werd meteen uitgeprobeerd.
Joost nam een paar happen taart
en sleutelde ondertussen aan de wielen van de auto.
Een vrouw schonk Jakob koffie in.
'Is jouw zoon altijd zo actief?' vroeg ze.
Jakob knikte lachend.
'U ziet hem op zijn best.
Stilzitten valt hem heel wat moeilijker.'
Joost legde de vier autobanden op een rijtje.
Twee ervan belandden onder de zitjes van de wip.

De overige twee werden schommels.
Weer werd alles meteen uitgeprobeerd
en iedereen gierde van het lachen.
Een van de vrouwen stapte naar Joost toe.
'Bedankt', zei ze.
'Volgende maand wordt dit pleintje plechtig
geopend,
en daarna is er een groot kinderfeest.
Ik hoop dat jullie dan ook komen.'
'We zullen er zijn', lachte Jakob
en hij gaf zijn zoon een paar schouderklopjes.

EINDE VAN HET VERHAAL

Het werd juni.
De drie Stoopjes studeerden af.
Deze keer gaf de drieling zelf een feestje.
Een heleboel klasgenoten werden gevraagd
en een paar leuke meisjes extra.
Het feest werd gehouden in een zaaltje,
want er zou flink wat gedanst worden.
Weer zorgde Mona voor hapjes en taart
en ze vroeg mij om te helpen.
Mona liep wat gespannen rond.
Mensen vroegen of de jongens al werk hadden
en daar kon ze niet op antwoorden.
De jongens vertelden haar zo weinig.
Wie van de drie stapte in het verhuisbedrijf?

Ik zal nooit vergeten hoe Mona keek.
We stonden in dat kleine keukentje
toen de vier J's binnenkwamen.
Jannes duwde zijn vader voor zich uit.
Joost droeg een schaal met wiebelende glazen.

Jef pronkte met een fles champagne.
Hij nam het woord.
'Beste pa en ma', zei hij met een buiging.
'We zijn nu alle drie afgestudeerd
en daar zijn we blij om.
Bedankt voor alles!
Onze plannen?
Verhuizen zit ons in het bloed
en dat vinden we alle drie goed.
Daarom willen we eerst een tijd werken
om voor een verhuiswagen te sparen.
Een grote verhuiswagen waarop staat:

J. & J. & J. DE STOOP
VERHUIZEN
SNEL EN GOEDKOOP

EEN VERHAAL MET EEN STAARTJE

De drie jongens waren het huis uit.
Jakob en Mona zaten graag op de stoep in het zonnetje.
Regelmatig reed een grote verhuiswagen langs
die altijd twee keer toeterde:
één keer voor Mona,
één keer voor Jakob.
Ze konden niet zien wie aan het stuur zat,
maar ze wisten dat het een van hun zonen was:

JEF

JOOST

OF JANNES.

www.lannoo.com
Registreer u op onze website en we sturen u regelmatig een nieuwsbrief met informatie over nieuwe boeken en met interessante, exclusieve aanbiedingen.

Illustraties Merel Eyckerman
De illustrator kreeg steun
van het Vlaams Fonds voor de letteren

D/2010/45/ 190| NUR 282
ISBN 978 90 209 8193 3